Collection dirigée par Jean-François Poupart

Titres déjà parus dans cette collection :

Morsures de Terre,
Jean-François Poupart, 1997.

Vestiges d'une pensée multiforme,
Daniel Guilbeault, 1997.

J'ai laissé au diable tes yeux en pourboire,
Fernand Durepos, 1998.

Les Crimes du Hasard,
Stéphane Despatie, 1998.

Rue Pétrole-Océan,
Tony Tremblay, 1998.

Les nouveaux poètes d'Amérique,
Robbert Fortin, 1998.

N'être,
Thérèse Renaud, 1998.

Taille directe,
Simon Richer, 1998.

L'angle atroce,
Stéphane Surprenant, 1999.

Des pissenlits au paradis,
Danny Rhainds, 1999.

Québec Parano,
Daniel Guilbeault, 1999.

Nietzsche on the beach,
Jean-François Poupart, 1999.

La Dérive des Méduses,
Kim Doré, 1999.

Désordres, peyotl
et autres mélanges

NICOLAS DUMAIS

Désordres,
peyotl
et autres
mélanges

LES NTOUCHABLES Poètes de
brousse

Les Éditions des Intouchables bénéficient du soutien financier de la SODEC, du PADIÉ et sont inscrites au Programme de subvention globale du Conseil des Arts du Canada.

LES ÉDITIONS DES INTOUCHABLES
4649, rue Garnier
Montréal, Québec
H2J 3S6
Téléphone : (514) 992-7533
Télécopieur : (514) 529-7780
intouchables@yahoo.com

DISTRIBUTION : DIFFUSION DIMEDIA
539, boulevard Lebeau
Saint-Laurent, Québec
H4N 1S2
Téléphone : (514) 336-3941
Télécopieur : (514) 331-3916

Impression : Veilleux Impression à demande
Infographie : Hernan Viscasillas
Photo de la couverture : Sandrine De Pas
Maquette de la couverture : Stéphanie Hauschild

Dépôt légal : 1999
Bibliothèque nationale du Québec
Bibliothèque nationale du Canada

ISBN 2-921775-86-7

Un poème c'est bien peu de chose
à peine plus qu'un cyclone aux Antilles
qu'un typhon dans la mer de Chine
un tremblement de terre à Formose
Une inondation du Yang Tse Kiang ça vous noie
cent mille chinois d'un seul coup
Vlan
ça ne fait même pas le sujet d'un poème
Bien peu de chose

RAYMOND QUENEAU

Avertissement

L'usage abusif de ce produit pourrait rendre
nocifs les enfants trop sages.

DÉSORDRES

Choisir d'écrire
pour une paumée
de l'Est d'où je viens
est un acte
autant que de pisser sur une limousine

À treize ans les filles jouent aux dames
je vendais des ice cream aux touristes
de l'autre côté de la ville
dans mon coin
y a des piqueries pis des putes

D'un grand coup de poing
je l'ai foutu par terre
des fois où mon père
pas trop sobre
m'exaspérait

J'ai appris à me défendre
à cacher à prétendre
quand ma famille nucléaire
a éclaté
comme la bombe sur Oklahoma City

Dégrisé
même plus les vides
pour faire le plein
insupportable
d'entendre
papa
brailler sa soif

Maman a décrété
« t'es assez vieille Eugénie »
depuis sa disparition
je la réinvente
en travaillant des phrases
refuges

ruelle arrière
une inconnue
enlève ses mitaines
elle réchauffe ma chatte avec sa main bronzée
de Sud-Américaine

PetitFruit

J'ai posé sur sa chair
ferme et déjà mûre
la langue les lèvres
et puis les dents

pour goûter à son dos
ses seins ses hanches
et au chocolat bouillant
de ses cuisses

elle avait beau frémir
et hoqueter de joie
je savais que ses doigts
étaient ceux d'une enfant

Paralysie cybernétique
déviance chimique
shakée par les remords
de vieillir trop vite
les pédophiles du pop sicle
marquent la mémoire à coups de chain saw

Panne d'essence
PetitFruit berce-moi
soulage mes nerfs
survoltés

J'attrape des condylomes
au moment où les aurores mushrooms
accentuent ma déprime

Les fleurs en sacs Glad s'offrent aux femmes
en résine de synthèse
les os brisés dans le corps je
cherche les berges d'or au milieu des
seins sauterelles chimériques

Merde à l'amour qui mène à l'hôpital
Merde aux policiers qui cassent le party
Merde aux enseignants qui ne m'apprennent pas
à me découvrir en dehors des modèles

Barreaux aux fenêtres
portes verrouillées
EN RANGS
discipline S.V.P.
« Ne vous levez pas
pendant le cours
pour parler levez le bras »
dix ans forcés
de classes de cloches
de travaux de discours
et je ne sais
toujours pas
contrôler mes humeurs

explosion expulsion

En direction de l'étreinte noire
incendiée par la pollution
et le centre-sud aciérie
décrochée de la soirée du hockey
des Oscars pis des fuckés
Les corps allument
la plus petite infamie
basanées par l'opium en sucette
mes puces irisées
contesteront les contraventions

N'y a-t-il que moi
mourante fatiguée
sous ce lever sinistre du soleil

L'hygiène jamais ne cachera
Hiroshima
insupportable sécurité
du voisin d'à-côté
pis d'la femme d'en avant

abusée depuis longtemps
expulsée des lieux communs par la moiteur
des aubes à rebours
je soulage mes sens dans le sexe travesti

Nul n'investit de règles
le corps d'une condamnée

Dans notre ovule monde
notre quatre et demie
j'écoute passer le temps
cent ans en dix secondes
y a pas d'boulot pour la résistance

aplatie
à plat ventre
dévêtue
je repasse le sang dans mes veines

Regarde Lia
on a changé de calendrier
les jours et les zannées
et moi encore
moins forte
face aux zautres
ceux qui n'arriveront pas
même en m'affamant
à m'rendre symétrique

Pendant que je dois emprunter de l'argent à ma colocataire pour aller acheter du fromage artificiel à mettre sur mes nouilles Catelli en spécial que j'avale quatre soirs semaines certains hommes d'affaires possèdent plus que le produit national brut de plusieurs pays en voie de développement Faites vos provisions l'oxygène va encore monter de prix à partir du mois prochain

Quand la galle aura fini
de réduire à néant ma peau
et que sera achevé
le combat pour la dernière cuisse de poulet

J'arrêterai de voir
enfler le pied de mon petit
frère obtus
et je me planterai
un os de bœuf
dans le plexus solaire

histoire de marcher
à la hauteur du sol
mouvant

En bref…

Les discussions sur l'Accord Multilatéral sur les Investissements ont repris à Genève aujourd'hui. Les négociateurs ne s'entendent toujours pas sur la clause dite de récupération des exclus. En fait, ce sont les compagnies qui participent à titre de représentantes des intérêts économiques collectifs qui insistent pour que soit incluse cette clause spéciale leur permettant de tuer des chômeurs pour faire le commerce de leurs organes.

Lia prend une pause
je lui arrache ses petites culottes
cette fois fini le cinéma
vengeance du vagin
déraciné
par les arrêts stop
fin des nombrils en silicone
cette fois non pas la télévision
mais nos sexes qui s'emportent
dans la réalité des sécrétions

Alors que les familles se dispersent, que les relations entre individus se fragmentent faute de temps et d'intérêts, que l'autorité tente de devenir plus forte que jamais qu'on augmente les budgets de la répression, police, prison ; qu'on coupe les programmes sociaux, qu'on est globalement plus pauvres donc plus vulnérables aux patrons qui brandissent au lieu de la carotte les billets verts pour nous faire marcher au pas du système économique. Alors que plusieurs découvrent la solitude entourée, qu'on a peur de nos voisins, du boucher et du vieux saoulon qui n'habite nulle part…

L'esthétique dans le désordre doit elle aussi se redéfinir.

L'odeur de l'incendie
les sirènes les gyrophares
partout on s'agglutine
pour parler de ses pertes
il n'y a plus que les révoltés
les dérangés les rebelles
qui ricanent ahuris
de voir la ville saigner du feu

ASYMÉTRIE

ma peine a débuté
quand
j'ai senti cette eau
glisser sur mon dos
froideur extrême
mutisme devant l'immensité
voilà que je déboule
aveuglé par le métro
mélancolique aux sons
de la musique
noire
jazz bop dub ska reggae
blues
vibrations dans mes artères
un choc
illustré par la contrebasse

Lia décolle
pour l'Amérique centrale
je modèle miniature
gelée
seule sur les sofas
du quartier général

Parades de provocation
passez par mon pays
réduisez-le
en un marécage de vices

Hier elle disait
« les réunions les discussions
les manifestations
le Plan G l'Opération Salami
les attentartes des activistes pâtissiers
ça me plaît
mais maintenant
mon objectif c'est d'être
rongeuse de béton
armée »

Un après-midi toi
agenouillée
sur le plancher d'un de ces magasins
où on vend
tout pour un dollar
Que cherchais-tu
Rien
probablement
On s'est retrouvées
rue Saint-Laurent
quincaillerie juive
tu voulais une planche à laver
« là-bas ils en auront besoin »

Quand tu seras guérillero
au pied d'la Cordillère des Andes
invite Romero
au nord du Rio Grande

ne pas sortir
partout les arbres ploient sous le poids de la glace
ici et là des fils électriques pendent dénudés
la glace dans les rues
la neige pas ramassée
danger

Éviter les branches
Éviter les chutes de glace
Éviter les remorqueuses
les endroits sombres les accidents

En marchant dans la slush
on entend
les ambulances
les pompiers
les véhicules de l'armée se déplacent
entre les cristaux de plastique

Femme honnête
fuis ton corps
celui de celle que tu prétends être
procède
au démantèlement de ta logique
tous les parcours comportent des erreurs
qui ne se maquillent pas

Devant l'écran pour t'oublier
ni les soaps
ni les tragédies
ni le génocide des Hutus des Tutsis
ne me changent les idées

Aux nouvelles
on parle d'interdire l'utilisation
des mines antipersonnel
mais pas la production
je hurle
face aux pubs de baseball

depuis l'annonce de ton départ
j'm'endors très tard
mon teint tire sur le vert
verre après verre
j'me désintègre
la joie du vin vire au vinaigre

Dans la presse ils disent
que les supermarchés
sont assiégés
l'approvisionnement en vivres
a été suspendu
l'eau n'est plus potable
ils demandent d'économiser le chauffage

J'explose
en t'explorant mentalement
Lia Marin
tu chialais contre l'ostie d'société
piochant à grands coups d'pieds
sur les murs du Q.G.

tu disais aussi
« Eugénie
le mouvement m'enchaîne
les listes les tables d'information
les chicanes de clans
dans l'errance je me retrouverai »

Entre la bière flatte
pis la vie plate
je dresse la liste
des gens qui m'épatent
j'haïs les craintifs
pis ceux qui se croient fautifs

à l'âge des pupitres de mélanges
de la techno de la switch du scratch
de la vidéo du clip du zap
j'essaye le mix
plutôt que l'unité de ton

utiliser l'arme du rap
contre l'homme politique
la poésie qui frappe
l'oppresseur et son fric

Le ministre des affaires étrangères Clint Eastwood
a annoncé, hier, à Ottawa que Raghib Ismaël,
l'Algérien dépecé, ne serait pas retourné dans son
pays.

Je suis l'amoureuse folle d'une divine enragée métal
je refuse la besogne le conjoint les enfants
fuite fauve phallacienne fœtale faragam tolitum
malaises
au thorax
au coccyx
dans les rotules
jusqu'à atteindre les cuticules

colère quotidienne
l'usage
les manières
le système
me condamnent avec mon vocabulaire vénérien
à la marge

Le bruit
d'un avion
qui passe
brise la fumée
puis
les moteurs
des hélicoptères
de l'armée
J'entends les grues
les souffleuses
d'une fenêtre
j'observe
le ciment l'aluminium
le logement du voisin
où une femme obèse
se déshabille devant
une silhouette
au fond de la pièce
elle défait la ceinture de l'autre
descend sa fermeture éclair
elle approche sa bouche
les mains de l'autre sur la nuque enflée
le téléphone sonne
l'avion est rendu loin

Avec tout plein de trémolos
Lia ni Pérou ni Chili ni Cuba
ni les accords bilatéraux
n'ont la puissance de nos ébats

Nous interrompons cette émission pour laisser
place quelque temps à un bulletin spécial
de nouvelles à propos des tempêtes dévastatrices
en Asie du Sud-Est

ma copine s'en va avec une de mes ex-copines
zoom
tes seins me transistor
j'aime sans follow-spot
plongée
dans mon terrain de vagues
présomptions

fleuves et rivières se déchaînent
tout s'écroule et m'entraîne
perdu le contrôle
de mes atterrissages forcés

International maintenant
Un tremblement de terre d'une intensité de 7,3
sur l'échelle de Richter a fait 18 morts dans la
capitale fédérale mexicaine

Dans toute cette démolition
il ne reste que les vers
pour contenir mon naufrage

CACTUS

Il y a des lunes
que le coq n'a pas chanté
coloré par le peyotl
le désert s'étire
sur notre lit de ressorts rouillés

le plus souvent sans paroles
voguons
les uns les autres
sans désir de bouger

soudain à vif
dégoulinantes
comme des fauvettes fraîchement plumées
la noche el contrario del dia
qui avait débuté
sur la montagne fertile
juste sous les nuages

Un lit qui fait le bruit d'un train
quand on y fait l'amour
une fenêtre sans vitre

la télé en noir et blanc grésille
diffusion incertaine
entre los entertainments american revised
y los mexicanos dreams
un livre de Soljenitsyne
des prisonniers qui tournent en rond
et l'odeur troublante
d'une guerre qui sent le baril de poudre
kosovo charachka

en attendant
que passe le vent
qui jette du sable aux yeux

Un kiosque de fruits dans le désert

Notre habitude des luxes
même les plus petits
cafés fumants ou bacon le dimanche
provoquaient dans notre sommeil profond
des rêves gargantuesques
de desserts et de vins

Voilà qu'à trois heures la tienda estaba cerrada
assoiffées cherchant désespérément une orange
dans ce village inondé de soleil
nous sommes allées jusqu'aux limites
voir si un paysan
en aurait une à vendre

Soudain est-ce un mirage
apparaissent sur notre route de pierres
des boîtes de bois sur le sol
un homme de la Sierra
vendait mangues avocats oranges et melons
le budget dépensé
une nouvelle conviction
de la chair d'un fruit juteux
peut naître une fête

Près d'un oasis d'eau sale où des animaux chétifs et galeux tentent de s'abreuver et de combattre la chaleur essayé la mescaline la vraie pas le PCP du Carré Berri un homme au regard triste dont les sept premiers enfants sont morts de faim ou de maladies nous a invité à sa casa de sable et de pierres dans la pièce principale sans toit décorée d'oiseaux tropicaux et de cactus fleuris en pot sa femme a préparé la poudre elle a moulu les peyotls secs dans ces petits moulins manuels qui servent à faire la farine de maïs élément de base des tortillas sous l'effet je ne sentais plus le malaise de la soif

Mexico 7h30

Sans respect pour les sans-moteur ils foncent, dévalent, dépassent et surtout klaxonnent, bip bip biiiiiip. Malgré la présence devant et derrière de centaines d'autres camions, autos, motos et collectivos de toutes sortes : bus, camionnettes... Chacun se croit le plus pressé, jouant de l'accélérateur, produisant de la fumée, ils se choquent, s'engueulent, se coupent et se redépassent dans cette rue bloquée.

Dans ce chaos mécanique, on entend retentir les radios d'auto et les haut-parleurs des autobus. « La reconstitution des circonstances de l'assassinat de l'animateur vedette de télévision, Paco Stanley, provoque des ralentissements de circulation. On se rappellera qu'il y a trois jours, on a tiré sur Stanley à bout portant devant son domicile et tout laisse croire qu'il s'agirait d'un règlement de comptes des narcotrafiquants à qui il aurait servi de prête-nom. »

Six mois de grève
à l'Universidad Nacional de Mexico
des barricades sur le campus
les citadins se souviennent du funèbre octobre 68
l'armée qui tire du haut des édifices sur une
manifestation étudiante dans le centre-ville les
autorités qui ne savent jamais compter déclarent
400 tués
les Mexicains disent 4000 cadavres
le hasard parfois aide l'histoire
cette même année de 1968 lors de ce même
mois d'octobre il y avait également les Jeux
olympiques dans la plus grande ville du monde
résultats l'Occident regardait avec attention des
cérémonies de remise de médailles et des frac-
tions de secondes furent accordées à ce massacre
En 1998 on a médiatisé dans mon pays l'anni-
versaire de Mai 68

Eugénie,

J'ai acheté cette carte postale à des sympathisants zapatistes pour deux choses, la première ça m'a fait pleurer d'entendre des gens parler de révolution en pleine rue alors que chez nous malgré la supposée liberté de dire ce qu'on veut, on ne voit pas ce genre de scène. La deuxième, j'ai lu un message du Parti au pouvoir sur un mur de la capitale qui t'aurait fait sauter au plafond. Je te le traduis : les rues t'appartiennent, la prison pour les délinquants. Mais ça c'est pas encore le pire, un haut placé de l'opposition a déclaré à la presse cette semaine que les délinquants sont des rats ! Tout ça dans un pays où la corruption touche tous les échelons sociaux et, ce n'est pas un secret, les familles proches du pouvoir sont aussi celles qui organisent le trafic de la drogue.

Petitfruit m'a acheté une patche au punk mercado qui dit ceci : « La delinquencia es consequencia logica de un sistema injusto. » Pas besoin de traduction ! Je t'embrasse, à la prochaine…

Lia

À une hauteur
où les cumulus s'observent en se penchant la tête
où l'économie paraît aussi absurde
que de se briser la tête sur une agave géante
downtown New York
Après avoir ingurgité un thé
à base d'opium
et de champignons
avec les femmes de maïs millénaire
les pommetiers qui brûlent
dans une cabane de terre mouillée sans cheminée
une vision toute simple
a bouleversé mon chemin

Des mamelles de la terre
apparaît un être à la forme humaine nu
sans organes sexuels
se confondant par sa couleur
au sol sur lequel il marchait
ainsi tel un caméléon
je le vis passer du brun au vert
au moment où il bifurquait du sentier
vers un champ

acculturée par les centres d'achat
blanche sans intention
à la recherche de mes origines
un puits vide a surgi du néant

Ma structure de Légo
cet ego démesuré
ce désir incontrôlé
d'allumer des incendies
s'effritent
je me transforme en masse molle
mes sens se liquéfient
dans les ruines de Palenque
je réalise
lucidité obscure
ma croisade est un cul-de-sac

Plus bas que le fond
la folie

Eugénie,

C'est la nuit et ça empeste dans notre chambre d'hôtel, depuis des heures, je me tourne et me retourne en serrant cet oreiller puant et ces couvertures poisseuses. Le sommeil ne vient pas. Pourtant, je m'étais préparée en calant trois verres de rhum coup sur coup, mais le remède ne m'a étourdi qu'un temps et je suis à nouveau anxieuse. Prise contre mon mal et mes veines qui m'étouffent. De retour dans le réel, je m'ennuie de vous : les copines et même de mes vieux banlieusards de parents. Je m'ennuie de la sécurité des soupers du dimanche et du bruit rassurant de la télévision que mon père ne ferme jamais. Je me sens loin des parties de caves où je dégueulais trop saoule. J'angoisse, je respire fort et je tremble. Confuse, je suis venue ici pour assassiner des présidents et je ne lutte que contre ma nervosité. La vie n'est pas un long fleuve tranquille. Mal du voyage. Tout se transforme et se déforme sans arrêt. Pas de bouée, pas d'ancre... Je dérive et Petitfruit veut qu'on se sépare. J'aimerais tellement être avec toi à Hochelaga partager un pétard et une grosse canne de bière.

Pas pour demain la révolution, ce n'est pas sur les barricades que je terminerai ce voyage mais à Montréal sur la rue Sanguinet, au centre Cactus. Hasta pronto, j'espère…

Lia

LES PIEDS DURS

Les rats couraient dans le plafond se mordant la queue et les oreilles provoquant par leurs petits cris un sentiment d'intense oppression sur mes nerfs des tas de lézards de teintes et de tailles différentes rampaient sur mon corps et j'avançais à bout de force dans ce passage étroit où parfois les murs s'effondraient

entre les montagnes du Chiapas
je roule la fin d'un cycle
émergeant des profondeurs
de l'engourdissement disparu

presque endormie
mon identité renaît
déroutée face à l'empire

Bureau de l'immigration
fonctionnaire énervé rédigeant
une lettre
exigeant
la salida definitiva
du Canadien au numéro
VF234de457
avant demain minuit

Pour ne pas oublier cette zone qui pourrait
changer l'histoire à coups de machettes et de
pioches je suis allé me faire tatouer un dessin
préhispanique qui signifie que l'être humain
doit franchir des étapes pour se réaliser

Face à ce lac où les femmes indigènes de l'eau
jusqu'aux genoux lavent les vêtements sur les
pierres je réfléchis à la quiétude des volcans qui
m'entourent et qui jalonnent ce pays que l'on
nomme Guatemala depuis bien avant moi bien
avant les années de guerre civile dont les plaies
restent encore ouvertes
toutes connaissent un proche que l'armée
a torturé noyé ou brûlé

L'une d'elles a peut-être appris de la leader guérillero Rigoberta Menchu la manière de confec-
tionner des pièges à soldats avec les ressources de
la forêt

En marchant derrière ce garçon de quinze ou seize ans j'observe ses pieds avec l'admiration de celui qui ne peut posséder ce trésor deux extrémités aux couleurs différentes du reste du corps devenues d'une dureté de roche à force de ne pas porter de souliers en forêt même lorsqu'il pleut et qu'il fait froid travailler dans la boue des champs nus pieds Dans ses sabots de peau une fêlure non pas une cicatrice une entaille semblable à l'angle que fait la hache qui frappe dans une bûche

Je ne croyais pas qu'ils reviendraient
ces serpents phosphorescents sécrétant leur odeur
ma faiblesse les envoûtait
et d'autres papillons me chuchotèrent un itinéraire
je devais continuer à circuler
de la neige sale jusqu'à la jungle
mais d'abord passer par le verre brisé
et l'hystérie des enseignes

j'arrivai dans une rue bloquée par les ordures
sur l'amoncellement trois chiens cherchaient à
manger et une dame âgée tentait d'oublier
l'odeur infecte en respirant de la colle dans un
sac de plastique
l'eau ruisselait sur les murs du corridor où un
ladino courbé et ridé me guidait avec sa lampe
de poche
Derrière une porte un lit aux draps jaunis
couverts d'excréments de rats
Les locaux nomment ce quartier
de Guatemala ciudad
la basura

Dehors le décor n'était plus le même
plus de tiendas grillagées plus de restaurants
spécialisés en cuisine chinoise remplis
d'ivrognes avalant la bière au litre
plus de vendeurs de couteaux
maintenant des vendeurs de bonbons
des kiosques de jeux d'adresse des manèges
des cris de commerçants de la musique latine

des uniformes tenant des armes de haut calibre
ayant l'air de se demander de quelle planète
j'atterrissais avec mes cheveux coupés tout
croche
six ou sept travestis dansant dans un café
à l'éclairage pâle et aux tables rondes

on a tiré sur le chanteur
de musique Truba
des balles ont percé le piano
le sang coule entre les planches

PELIGRO

Un peuple déplacé n'a pas d'assise
stolen from Africa
importés comme esclaves
au Bélize au Guatemala au Honduras
et en Jamaïque
souvent se déplacent d'un pays à l'autre
some of them the rastafarians want to go back
to the ancien land
les langues aussi se mélangent

Comme une locomotive
je carbure à la fumée
herbe enrobée dans une feuille de tabac
only what grows

disciple de la contemplation
des arbres des fleurs et des fruits
cet homme sur la branche
apaisé par la brise
ses cheveux et sa barbe
dressés en petits studs
m'apparaît comme une œuvre d'art brut

avec les douilles de 38 qu'on retrouve sur la plage
the positive vibration
teachs you the high way of living

esperando el Espéranto
assis à cette table
I'm a intoxicate rasta punk
I can't believe
the white american God

Ce matin je pense à Bob Marley
première superstar de la musique à être issue
d'un pays du tiers monde
j'écoute cet homme
finissant sa bouteille de rhum
en caressant son pistolet accroché à sa ceinture

« soy guatemalteco
pero mi mama es una negra
garifuna
mi padre es hondureño de la costa
para tener dinero
yo vendo de la motta
y por los mas locos
tambien de la coca
eso es mi vida
la razon de la lucha »

rechoc des cultures
Pronto je referai sur le pouce
le trajet entre Montréal et Jonquière
pour aller voir les apaches
en passant à travers une tempête de neige
le vent et les épinettes du Parc des Laurentides

Dans un fantasme mixé
à la shiva space machine
amalgame de ventilateurs
et de criquets la nuit
j'imagine les teintes de la planète
après cent ans de mouvements migratoires
permanents

retrouver quelque part
le froid de mon enfance
le rouge le jaune le vert
des érables du Mont-Royal l'automne

J'avais envie du monde
et il s'offrait là
après quatre mois d'étreintes
goûter une descendante de père noir
et de mère indigène
métissage siempre more

sept heures de cahots
la radio
sur la Palabra de Dios
truckers strike
chargé comme un âne
je passe la première barricade
bâtons à la main
une cinquantaine de camionneurs
font face à la police
« matamos gringos matamos gringos »

une fois de plus ce jour
aurait pu être mon dernier

Près de Huehuetenango
on nous avertit de nous couvrir
le nez et la bouche
ils fumigeaient l'autobus
à mort les bactéries
Une maya me dit
« avant je travaillais dans les champs
les avions qui fumigent passaient
souvent des enfants tombaient
empoisonnés »

Je réussis à revenir au Chiapas
en allant voir le consul mexicain au Guatemala
dont j'avais obtenu l'adresse par son neveu
un camarade
la lettre écrite j'étais déjà de retour
mais il pleuvait
à transformer les rues en fleuves
je restai enfermé
sans aller rejoindre les rangs rebelles
une fois encore
je rate ma révolution

rock latino
estado del norte
tequila au litre
plus un peso en poche

À New York
la ville se promenait en chaise roulante
les cheveux sales
la haine sur les visages
dormi dans le terminus
en attendant mes bagages
perdus par Greyhound à Houston

licenciement du féminin et du masculin
je hiphop pluriel
me streetpeople
l'histoire se raconte mieux quand on la ment

MÉLANGES

mouvement rotatif du moment
qui m'enveloppe
comme un grognement
venu d'entre mon ventre et l'univers

des drapeaux déchirés
des affiches décolorées
des voitures détruites
que s'est-il passé

métamorphosé
hors de toute définition
je retrouve dans l'inconnu
Eugénie Blaise

Au parc

Des lions d'une demi-tonne s'envolaient à cause du vent qui, par sa force, arrachait les clous servant de fixations entre ses bêtes de métal lourd et leurs socles de ciment.

Passaient des femmes et des hommes sans que les bourrasques ne les atteignent protégés qu'ils étaient par les couloirs de verre construits par la nouvelle administration souterraine qui, comme l'indiquaient les manchettes des journaux du 6 juillet, aurait définitivement voulu que le trottoir puisse être roulant. Les gens de la haute auraient ainsi pu se balader sans efforts sur ce qui autrefois était une montagne. Bien évidemment et ça aurait aussi été le cas si les trottoirs avaient été roulants, le tunnel passe près des attractions qui restent : sept ou plutôt six arbres puisqu'il s'en est émietté un avant-hier selon les scientifiques ce serait à cause d'un virus. Le tunnel longe également un bout d'autoroute mais il ne se rend pas jusqu'où il y a les carrosseries empilées.

Pour entrer et sortir du tunnel, il faut passer par les tourniquets, les gardes demandent quelques billets mais nous on refuse d'entrer dans les zones contrôlées. On est la plupart du temps en mouvement revenant aux lieux que l'on quitte pour des raisons encore plus nébuleuses que celles de notre départ. En ce moment nous regardons tomber une statue et nous applaudissons sans bruit l'érosion du mot loi sur la plaque commémorative sur laquelle elle se brise.

Si le désordre implique qu'il n'y ait pas de plan cartésien dans un livre, le mélange impose quant à lui de toucher au plus de points possibles, autrement dit, d'utiliser le plus de formes et de styles d'écriture dans le but de surprendre le lecteur pour que ce ne soit plus des liens raisonnables qui tissent le fil de l'histoire mais des série d'ambiances, d'impressions qui vous mènent sur le chemin des pulsions instinctives et libératrices.

Ni ma pensée ni la vôtre ne suivent des logiques rectilignes, faites ni de vers ni de prose, pas seulement d'images et pas seulement de souvenirs, elles oscillent constamment autour des mêmes thèmes, elles se souviennent des mêmes blessures, amènent parfois comme par erreur une nouvelle idée, une illumination qui sans raison peut changer le cours d'une journée ou même le cours d'une vie. L'imagerie intérieure est frappée par ce qui l'entoure, elle se confronte à celle des autres, elle est parfois fluide et parfois congestionnée. En écrivant un scénario de plusieurs minutes qui ne devait représenter qu'une seconde dans la tête d'un personnage, Antonin Artaud a illustré ce chamboulement.

Ni Neunie ni moi, on veut entrer dans la machine, on n'a pas envie de vendre nos neurones pour pas que ça paraisse qu'on est exclus. On n'est pas capables non plus de garder un horaire, le jour la nuit, c'est quand on veut et pour baiser on prend pas de rendez-vous. Quand un de nous a le goût… assis, debout, couchés, à genoux. Mais à chaque fois, je me retrouve trop mou et elle souhaiterait un dernier coup.

Eugénie aussi écrit de la poésie. On est sans le sou alors parfois l'angoisse la secoue. Ça lui prendrait de la bière mais on l'a toute bue d'un coup, on a été saouls puis à nouveau sans le sou. Ça c'était la semaine dernière. Une grande rousse colporteuse d'informations ayant appris de source sûre l'existence d'une résistance artistique à l'extérieur des murs et des institutions, s'était munie d'un masque et avait cherché à rencontrer parmi les non-repertoriés les spécimens qui s'adonnaient aux formes les plus primitives d'arts tels l'écriture et le dessin. La grande rousse devenue blonde malgré son masque et son accoutrement anti-vent violent avait aperçu tout près de ce qui était une église mais qui, aujourd'hui est une ruine, Neunie Blaise emmitouflée dans deux manteaux avec six foulards de laine qui malgré ses mitaines écrivait un poème politique sur la division du monde.

La grande blousse ronde devenue plus ou moins noire, il serait plus exact de dire léopard, avait donc accepté de payer Eugénie pour entendre parler de la révolte des artistes.

Neunie a d'abord nié l'existence des cabanons de plastique recyclés où logent certains mouvements de mécontentement. Mais... Le cognac aidant... elle finit par s'emporter dans un éloge plus ou moins sinueux de l'art comme vecteur de changement et outil de propagande agréable. Et puis la journaliste est partie lui laissant une caisse de bière parce qu'on aurait pas su quoi faire avec des billets. On s'est saoulés comme il se doit dans un désert où on a soif et froid à la fois.

Souvenir

« La tempête anti-marginaux est une présenta-
tion du parti V qui est fier d'annoncer le lance-
ment officiel de sa campagne de financement. »
En sortant d'un coffre à outils usé et poussié-
reux, Neunie entendait ces phrases venues de
haut-parleurs gigantesques. Elle suivit le son qui
la mena près des tourniquets.

Eugénie qui n'avait plus de contact avec les
zones administrées depuis plusieurs semaines
alla rencontrer le gardien chargé de surveiller
l'appareil démesuré. Il lisait une revue assis sur
un bol de toilette en aluminium. « N'avez-vous
pas froid au cul chier dehors par une pareille
température », demanda-t-elle au subalterne qui
avait l'air pétri par l'effort. « C'est insupportable
ces microclimats, hier j'ai reçu une pluie de
clous sur la tête, regardez », sans desserrer les
mâchoires, il enleva sa casquette et montra à
Eugénie ses pansements.

« Vous savez, reprit-il, paraît qui va y avoir un
réchauffement terrible. Avec la quantité de
déchets qu'y a hors des zones vous allez
devoir trouver un moyen d'entrer dans les
tunnels sinon vous allez être en danger à
cause des odeurs comme après la dernière
élection. »

Le souvenir de cette période de chaleur provoqua un sourire sur le visage d'Eugénie, elle et moi on a la peau plus épaisse que le plastique d'un sac poubelle. Quand il y a eu le réchauffement, elle a volé des masques chez les scientifiques presque tous retournés sous terre, elle a aussi volé des chiennes qu'elle a décorées pour s'amuser. Aucun gaz n'éliminera la résistance pensa Eugénie en quittant brusquement le gardien qu'elle méprisait pour sa soumission au parti.

Déveine urbaine

les chats et les chiens pleuvent
depuis que le parti X
a repris le pouvoir
la ville embaume la morue
le kérosène et l'oreiller

Il meurt des tas de cadavres
pendant que près du fleuve
en remontant leurs culottes
lampadaires et missiles
émergent des tombeaux

Sans chronologie

Maintenant, je marche pour retourner à la cabane et le vent transporte des valises de la merde et des animaux morts. Parfois de je ne sais où j'entends des milliers de prisonniers crier à la fois. Eugénie étendue dans son cercueil ouvre l'œil, de par le signe de tête qu'elle me fait je devine qu'elle veut que je m'étende sur elle. Elle s'agrippe à mes fesses et secoue les hanches de manière à ce que mon pénis sous mon pantalon fasse une pression agréable sur sa petite culotte brune et tachée. Elle sent l'urine, la sueur et les menstruations. Je grognotte son clitoris jusqu'à la faire trembler dans notre demeure rapiécée... Voilà qu'elle trouve, entre les tas de déchets et les morceaux de murs abattus, une vieille robe tenue au sol par une brique. Eugénie essaie d'enfiler la robe sans bouton par-dessus son manteau. L'opération est un échec mais au moment où elle a les yeux bandés par le collet je lui lance un morceau de viande putréfiée sur la tête. Nous rions en nous lançant des ordures.

La propriété c'est le vol.
Surtout en ce qui concerne les biens relatifs aux émotions. Aucun brevet ne tient sur une œuvre parce qu'il y a des centaines de façons de la comprendre et de la vivre. À l'image de ses musiciens qui échantillonnent des extraits de musique, je vole les vers et les métaphores et les recollent pour remanier l'existant.

Je me nourris de l'immédiat en prenant du regard des notes sur l'instant fatal, celui que les journalistes et les photographes attendent, ce it des beat que j'inscris dans ma mémoire afin qu'au moment où je prends mon crayon l'anecdote réinventée apparaisse et ouvre la porte à une nouvelle dimension de mon personnage.

À la manière de Pessoa, « Je suis personne » et à la fois le monde entier... Je sors de ma coquille inutile et me décide à vivre toutes les vies. L'expérience du luxe et de la maladie, de la peur que je vis et de celle que je provoque, je les goûte avec la même curiosité, celle de l'enfant qui touche à l'orgasme pour la première fois.

Achevé d'imprimer en novembre 1999 chez

VEILLEUX
IMPRESSION À DEMANDE INC.

à Longueuil, Québec